P. Guy Girard
P. Armand Girard

Medjugorje terre bénie!

Apparitions de la Vierge à six adolescents

D1432879

Éditions Paulines & Médiaspaul
Maison St-Pascal

Marie, Reine de la Paix
répondrons-nous à ton amour?

Maquette de la couverture: *Antoine Pépin*

Photos: *Guy Girard*

ISBN 2-89039-038-1

Dépôt légal — 1er trimestre 1985
Bibliothèque nationale du Québec
Bibliothèque nationale du Canada

© 1985 Les Éditions Paulines
     3965, boul. Henri-Bourassa est
     Montréal, Qué., H1H 1L1

     Médiaspaul
     8, rue Madame
     75006 Paris

     Maison St-Pascal
     3719, boul. Gouin est
     Montréal, Qué., H1H 5L8

NOUS DÉDIONS CETTE BROCHURE

à Marie, Reine de la Paix

à Notre Mère qui a tant prié Marie

à notre Mère spirituelle

à tous ceux et celles qui aiment
Marie et qu'Elle nomme
            «Mes chers enfants»

Medjugorje

Medjugorje est un tout petit village perdu dans les montagnes de la Yougoslavie. Il se trouve dans la région croate catholique d'Herzégovine. La Yougoslavie est un pays marxiste où l'athéisme est enseigné. Mais, Tito, l'artisan de la révolution, a gardé certaines distances avec la Russie. Il a conservé des relations avec l'ouest et établi des relations diplomatiques avec l'Église. Cependant tout n'est pas facile et le peuple croate souffre beaucoup du régime athée. Ce petit village est maintenant connu partout. Il est devenu pratiquement universel. Des personnes de toutes conditions s'y sont rendues et s'y rendent encore. Que s'est-il donc passé pour que le monde entier se soit tourné vers ce village?

Des autobus venant de tous les pays d'Europe conduisent les pèlerins.

Les apparitions

Ce qui s'est passé et ce qui se passe encore à Medjugorje au moment où ces lignes sont écrites (mars 1985), ce sont les apparitions de la Vierge. Commencées le 24 juin 1981, les apparitions ont eu lieu tous les jours, sauf cinq, depuis cette date. La Vierge Marie apparaît à six jeunes: quatre filles, deux garçons. Voici leur prénom, leur date de naissance et leur âge actuel (1984):

> Vicka, née le 3 septembre 1964, 20 ans
> Mirjana, née le 18 mars 1965, 19 ans
> Marie, née le 1 avril 1965, 19 ans
> Ivan, né le 25 mai 1965, 19 ans
> Ivanka, née le 21 juin 1966, 18 ans
> Jacob, né le 6 mai 1971, 13 ans

Or ce qui étonne et interroge bien des théologiens, c'est la durée et la fréquence des apparitions. Depuis 45 mois, la Vierge Marie apparaît. Elle est apparue au-delà de 1730 fois et les apparitions continuent encore. Il nous semble que si la Vierge apparaît si souvent et sur une si longue durée cela indique nettement l'importance de ses demandes, de ses messages et de ses secrets.

Les demandes de la Vierge

Un mot domine les demandes de la Vierge Marie; il se dit MIR en croate et PAIX en français. Il a été écrit en lettres de lumière au-dessus de la colline où se dresse la croix. Le père Jozo et des villageois en témoignent sans hésitation. La Vierge Marie parle de la paix, mais d'une paix radicale, d'une paix qui vient du cœur. Les racines de la paix sont: conversion et foi, prière quotidienne, jeûne et sacrement du pardon.

Conversion et foi

Cette conversion radicale demandée avec une insistance aussi forte, exige beaucoup. La Vierge Marie le sait et le demande pour notre salut. Cela signifie beaucoup plus que la simple croyance en un être supérieur; cela dépasse encore la pratique dominicale et la réception des sacrements. Cette conversion en profondeur est un retour à Jésus, Seigneur et Sauveur, qui dépasse la raison et se situe par la foi au niveau du cœur. C'est la rencontre quotidienne avec Jésus qui change toute une vie et qui s'approfondit au niveau d'une FOI de plus en plus alimentée fréquemment par la prière quotidienne et la Sainte Eucharistie.

Notre-Dame a parlé le 26 avril 1983: «N'attendez pas… Je ne demande que la conversion. Soyez prêts à tout et convertissez-vous. Abandonnez tout ce qui empêche la conversion.» La Vierge Marie interpelle chacun de nous. Elle interpelle ceux et celles qui s'organisent directement avec Dieu; Elle interpelle les chrétiens d'habitude qui ne font que le minimum. Elle interpelle les prêtres, les religieux et les religieuses.

Prière quotidienne

Marie se présente aux voyants comme celle qui prie et Elle insiste pour un retour à la prière. «Il y a beaucoup de croyants qui ne prient pas; la foi ne peut être vivante si on ne prie pas.» À Medjugorje, la vie est devenue prière. La Vierge prie avec les voyants. Les paroissiens et les pèlerins prient trois heures par jour et davantage. Ce temps de prière inclut la célébration de l'Eucharistie. Toute une communauté chrétienne nous interpelle. Elle vit de prières. La Vierge a demandé de réciter le Credo (Je crois en Dieu) pour redire au Père éternel ce en quoi nous croyons. Elle a demandé de réciter sept fois de suite le «Notre Père», le «Je vous salue, Marie» et le «Gloire soit au Père». Elle insiste sur l'importance de dire le chapelet tous les jours et davantage le Rosaire (3 chapelets).

Parlant de la Sainte Messe, la Vierge Marie affirme: «La Messe est la plus grande prière de Dieu et vous ne pourrez jamais en comprendre la grandeur; c'est pourquoi vous devez être parfaits et humbles à la messe et vous y préparer.» Cette invitation de la Très Sainte Vierge Marie doit nous conduire à la réflexion, à la méditation. Combien de chrétiens ont «balancé» la Sainte Messe! Combien ne gardent l'Eucharistie de Noël et de Pâques que par folklore! Combien n'y vont que lorsqu'ils en «sentent» le besoin comme si la foi était au niveau des sentiments. Elle dit et redit: «Je ne

Quatre millions de personnes ont marché dans ce sentier.

demande que la conversion. Soyez prêts à tout et CONVERTISSEZ-VOUS. *Abandonnez tout ce qui empêche la conversion.*»

La prière est le moyen de communiquer avec Dieu et d'accompagner la Vierge. Comme on ne peut se passer de l'air pour respirer et vivre, de même on ne peut se passer de la prière pour vivre de Dieu. Medjugorje est devenu de par sa réponse aux demandes de la Vierge, un lieu de prière comme il n'en existe pas au monde. Cette communauté chrétienne qui depuis plus de 45 mois prie de 3 à 4 heures par jour, lance un cri au monde moderne: «Répondez aux demandes de la Vierge Marie.» Ce cri, ils l'ont reçu du cœur de Marie. Ils ont mission de nous le faire entendre. De notre réponse dépend notre propre salut et le salut du monde.

Le jeûne

Le jeûne demandé par Marie est clairement indiqué; c'est le pain et l'eau. Le jeûne ne signifie rien en soi. Il n'a de sens qu'au service de la foi. Jeûner nous permet de mieux nous donner à Dieu et aux autres. Il ne se remplace pas. La Vierge dit aux voyants: «Les chrétiens ont oublié qu'ils peuvent arrêter les guerres et même les catastrophes naturelles par la prière et le jeûne.» La prière et l'aumône ne remplacent pas le jeûne. Jeûner c'est aussi réparer pour nos propres péchés et pour les péchés de l'humanité. Le jeûne comme la prière constante sont les moyens les plus sûrs de conversion. Jésus dit un jour aux apôtres qui l'interrogeaient sur le fait qu'ils n'avaient pas été capables de chasser le démon d'un possédé: «Ce genre de démon ne se chasse que par la prière et le jeûne.»

Le désir de Marie est que les croyants jeûnent le vendredi au pain et à l'eau sauf les malades. Je connais déjà des familles qui le font, des étudiants aussi. Tout déjà se transforme en eux et entre eux.

Le sacrement du pardon

Ce sacrement de la réconciliation est presque disparu de nos vies. La Vierge le décrit comme le remède pour l'Église occidentale. « Des domaines entiers de l'Église seraient guéris si les croyants se confessaient une fois par mois.» L'expérience pastorale nous prouve hors de tous doutes combien ce sacrement vient non seulement confirmer le pardon de Dieu mais guérir sur le plan psychologique et sur le plan physique. Combien de malades en psychiatrie seraient guéris s'ils avaient eu et s'ils avaient recours à ce sacrement. Cela ne met nullement en cause le médecin psychiatre. Ce qui est mis en cause, c'est la psychiatrie qui met complètement de côté la dimension surnaturelle de l'homme. Le pape Jean-Paul II, au parc Jarry, nous redisait: «Le cœur humain ne s'habitue pas à l'absence de Dieu.»

Le sacrement du pardon nous conduit à la paix intérieure, fruit de l'Esprit-Saint qui devient paix avec nos frères et sœurs, paix avec notre peuple et paix mondiale.

Voilà brièvement les demandes principales de Marie. Le père Tomislave Vlasic disait aux 200 prêtres réunis à Medjugorje le 13 octobre 1984: «Approfondissez votre FOI, priez constamment, jeûnez, recevez le sacrement du pardon, c'est cela que demande la Très Sainte Vierge Marie.» Priez et laissez Dieu agir. C'est plus facile pour nous de prier. L'action est du côté de Dieu, la prière est de notre côté. Seul Dieu peut agir.

Les messages

Il faut distinguer entre messages et secrets. Les messages sont donnés par la Vierge aux voyants; ils sont pour la paroisse de Medjugorje, pour l'Église yougoslave, pour le monde. Beaucoup de messages sont connus. Il y en aurait 1 300 actuellement. Une traduction des messages du croate au français sera faite dans les mois à venir.

Lors des dix jours passés à Medjugorje, des messages furent donnés. Citons le message donné aux 200 prêtres le 13 octobre 1984: «**Mes très chers fils, aujourd'hui mon Fils Jésus m'a permis de vous rassembler ici pour vous donner ce message à vous et pour tous ceux qui m'aiment. Mes très chers fils, priez constamment. Demandez à l'Esprit Saint qu'Il vous inspire toujours. Dans tout ce que vous demandez et dans tout ce que vous faites, ne désirez qu'une chose, celle d'accomplir**

Arrière de la maison de Maria. De là, un sentier conduit à la colline des apparitions.

uniquement la sainte Volonté de Dieu. Mes très chers fils, merci d'avoir répondu à mon appel de venir ici. » Un autre message fut donné à Maria: « **Dites aux gens de lire la Bible tous les jours, spécialement le Nouveau Testament. Qu'ils la placent à un endroit où ils peuvent la voir à tout moment.** » Ce message fut donné le 18 octobre 1984. Il y aurait beaucoup à dire au sujet des messages, mais nous voulons uniquement éveiller l'attention du lecteur afin qu'il aille plus à fond dans sa recherche par la lecture de volumes plus détaillés.

Les secrets

Les secrets ne sont donnés qu'aux voyants. Ils ne peuvent pas être transmis sans l'autorisation de la Vierge. Tous les voyants savent la date où ces secrets seront dévoilés. Les secrets sont au nombre de dix. La Vierge Marie les a donnés progressivement. Nous savons actuellement (mars 1985) combien de secrets connaissent les voyants. Mirjana en connaît 10, Vicka en connaît 8, Yvanka, Maria, Yvan et Jacob en connaissent 9.

Ces secrets concernent des catastrophes imminentes et les moyens de les atténuer. Ils se rapportent au monde, à la paroisse, à l'église locale ainsi qu'à l'Église tout entière. Nous savons que l'un des secrets se rapporte à un grand signe que la très Sainte Vierge laissera à l'endroit de sa première apparition. **Ce signe sera visible et permanent. Même les incroyants ne pourront le nier.** Cependant on ne sait pas ce qu'il sera, ni quand il se produira. La très Sainte Vierge a dit à ce sujet: « **Hâtez-vous de vous convertir. N'attendez pas le signe qui a été annoncé. Pour les incroyants, il sera trop tard pour se convertir.** » Elle invite les gens avec une insistance particulière à la prière quotidienne (la Célébration eucharistique autant que possible), à la pénitence, au jeûne, à la conversion (sacrement du pardon), à la foi profonde. Ce sont, dit-Elle, des moyens pour se préparer aux événements prophétisés. La Sainte Vierge a dit à Mirjana: «Tu pourras révéler chaque secret trois jours avant sa réalisation à un prêtre de ton choix.» Le prêtre fera ce qu'il veut de cette information quant à la modalité de la faire connaître. Par exemple, il pourra confier à quelqu'un l'écrit de l'événement à venir, écrit qui ne serait rendu public qu'après l'événement. Il peut aussi prévenir les gens en disant par les médias: «Voici ce qui va arriver…» Les secrets seront révélés peu à peu; ainsi les gens se rendront compte que la Vierge apparaissait vraiment.

Dans une lettre envoyée au Saint Père, Mirjana dit: «Avant le signe visible qui sera donné à l'humanité, il y aura trois avertissements au monde. Les avertissements seront des événements sur la terre. Mirjana en sera témoin. Trois jours avant une des admonitions, elle avisera un prêtre librement choisi. Le témoignage de Mirjana sera une confirmation des apparitions et une incitation à la conversion du monde.»

Après les admonitions, viendra le signe visible sur le lieu des apparitions à Medjugorje pour toute l'humanité. Le signe sera donné comme témoignage des apparitions et un rappel à la foi.

Le 9e et 10e secrets sont graves. Ils sont un châtiment pour les péchés du monde. La punition est inévitable parce qu'il ne faut pas attendre la conversion du monde entier. Le châtiment peut être diminué par les prières et la pénitence; il ne peut être supprimé. Un mal qui menaçait le monde, selon le 7e secret, est effacé en raison de la prière et des jeûnes, dit Mirjana. Pour cela la Sainte Vierge continue d'inviter à la prière et au jeûne.

Après la première admonition, les autres suivront dans un temps assez bref. Ainsi les hommes auront du temps pour la conversion. Ce temps est la période de grâce et de conversion. «**Après le signe visible, ceux qui resteront en vie auront peu de temps pour la conversion.**»

En réponse à une question du père Tomislav demandant si le dernier secret peut être évité, Mirjana répond que les gens doivent se préparer spirituellement, se tenir prêts, ne pas paniquer, se réconcilier intérieurement. «Ils devraient être prêts à tout, même à mourir demain.» Avec la foi profonde et sachant qu'ils sont réconciliés avec Dieu, ils ne doivent pas craindre car Dieu est avec eux. Cela veut dire: conversion complète et un total abandon à Dieu.

Les signes

Des signes visibles ont été constatés par des paroissiens de Medjugorje et des pèlerins. Nous en signalons quatre qui furent confirmés.

La danse du soleil se produisit plus d'une fois comme à Fatima. Le soleil commença à tourner autour de son axe. Il se rapprochait des pèlerins et revenait en arrière. Le 2 août 1981 en la fête de Notre-Dame-des-Anges, près de cent cinquante personnes ont vu ce signe.

Sur la colline de Krizevac ou colline de la croix apparaît souvent une lumière en forme de colonne. D'autres ont vu une lumineuse figure féminine au-dessus de la colline. Des témoins affirment avoir vu ces phénomènes à plusieurs reprises et à différents moments du jour. De même, on parle aussi de ce feu qui a surgi à la fin d'octobre 1981 sur la colline des apparitions. Beaucoup de pèlerins l'observèrent. L'agent de police qui empêchait les pèlerins de se rendre à la colline alla vérifier et ne trouva aucune trace de feu, ni de cendre. Ce jour-là, la Vierge dit aux voyants: «c'est un des signes avant-coureurs du grand signe. Tous ces signes sont donnés pour renforcer votre foi jusqu'à ce que j'envoie un signe permanent.»

Rappelons aussi que le mot paix qui se dit MIR en croate a été vu inscrit dans le ciel. Selon les voyants, la

Colline des apparitions. Photographie prise de la montagne de la croix.

Vierge a promis qu'il y aurait encore beaucoup de signes avant-coureurs à Medjugorje et dans d'autres parties du globe avant le grand signe.

Maintenant en procédant par questions et réponses, nous voulons vous donner ce qui a été dit aux voyants.

1. Que dit la sainte Vierge au sujet de l'au-delà?

Parmi les voyants, quatre ont vu l'enfer et la Vierge leur a dit: «C'est la punition de ceux qui ne veulent pas croire en Dieu. Plusieurs y vont; cela est le châtiment des infidèles.» Plusieurs personnes croient que le démon n'existe pas et l'on parle plutôt des forces du mal comme ésotériques. Mais le démon est un être qui veut notre perte et combat contre Dieu. Tous les voyants ont vu le ciel. «Aujourd'hui, dit la sainte Vierge, une infime minorité va directement au ciel. La grande majorité va au purgatoire parce que les hommes meurent sans s'être préparés; ils ne sont pas prêts à accepter Dieu et sa grâce.»

2. Comment Dieu si miséricordieux peut-il manquer de pitié au point de jeter les gens en enfer pour l'éternité?

Les gens qui vont en enfer n'aiment pas Dieu. Ils le haïssent et le blasphèment même plus qu'avant. Ils deviennent une partie de l'enfer et ils ne pensent pas à leur délivrance.

3. Vous a-t-elle montré le purgatoire?

Oui, Elle m'a dit: «qu'au purgatoire il y a plusieurs niveaux. Il y a le niveau le plus bas de ceux qui sont les plus proches de l'enfer et ensuite il y a des niveaux progressifs qui se rapprochent du ciel. Ces âmes attendent vos jeûnes, vos prières.»

4. Aujourd'hui est-ce que plusieurs personnes vont en enfer?

La plupart vont au purgatoire. Peu vont directement au ciel. La Vierge dit aux quatre voyants qui virent l'enfer: «Voici la punition de ceux qui n'aiment pas Dieu. Un grand nombre y vont.»

5. Doit-on agir selon ce que l'on perçoit des prêtres?

Beaucoup de gens aujourd'hui regardent la foi des prêtres. Si les prêtres ne sont pas bons, alors cela signifie que Dieu n'existe pas. La Vierge Marie dit: «Vous n'allez pas à l'église pour voir les prêtres et regarder leur vie privée. Vous allez à l'église pour prier et écouter la parole de Dieu donnée par le prêtre.»

6. Comment agit le démon aujourd'hui?

Le démon s'infiltre au niveau des couples. Il ne les possède pas mais son influence est telle qu'il y a de nombreux divorces. La Vierge dit qu'il n'y a qu'un moyen de l'éloigner et **c'est la prière en famille.** Il faut avoir au moins un objet sacré dans la maison (ex.: un crucifix) et il faut faire bénir notre demeure régulièrement.

Il s'infiltre aussi dans les monastères. Il cherche à conduire les grands croyants à l'incroyance. L'importance de la prière disparaît, le renoncement, la charité... on ne vit que d'une façon humaine oubliant la dimension spirituelle et surnaturelle: prière, jeûne, pénitence.

7. Quelle insistance la Vierge Marie met-Elle sur la foi et l'expression de sa foi?

La Vierge disait à Mirjana que chacun doit se convertir pendant qu'il est encore temps, de ne jamais laisser Dieu et la foi. «Laissez tout mais pas cela.» Combien de chrétiens se limitent à prier occasionnellement un Dieu éloigné! Ils ont tout laissé: l'Eucharistie, la communion, le sacrement du pardon, la prière, le jeûne. Ils ne vivent plus de Dieu, du Christ et de l'Église. Savent-ils qu'ils vont à leur perte? Savent-ils qu'on ne se moque pas de Dieu et que l'Église a été voulue par le Christ? La Vierge vient peut-être pour la dernière fois nous indiquer le chemin du salut.

8. Que dit la Vierge en ce qui concerne les différentes religions?

Un jour, Elle dit aux voyants: «En Dieu, il n'y a pas de division, ni de religion; c'est vous dans le monde qui avez créé les divisions. Le seul médiateur c'est Jésus Christ.» «Cependant le fait que vous apparteniez à telle ou telle religion n'est pas sans importance.» «*L'Esprit n'est pas le même dans chaque Église.*»

9. Doit-on prier Jésus ou Marie?

À la requête d'un prêtre, les voyants demandèrent s'il fallait prier Jésus ou Marie. Elle répondit: «Priez Jésus. Je suis sa Mère et j'intercède pour vous avec Lui. Mais toute prière va à Jésus. J'apporterai mon aide, je prierai, cependant tout ne dépend pas de moi, mais aussi de votre force, de la force de ceux qui prient. Mais pour vos requêtes, venez à moi, je connais la volonté de Dieu mieux que vous.»

10. La Messe (Célébration eucharistique) est-elle importante?

«La Messe est la plus grande prière. Vous devez assister à la Messe parfaits et humbles et vous y préparer.» À Medjugorje, les 3 à 4 heures de prière par jour incluent toujours la Sainte Messe.

11. Y a-t-il un lien entre Fatima et les apparitions à Medjugorje?

La ressemblance est frappante. À Fatima, le message est un appel urgent au repentir, à la prière et à la pénitence. Tout cela afin d'éviter la guerre et d'avoir la paix sur la terre. Marie dit alors que sans la conversion et le repentir d'un nombre suffisant de gens, une guerre plus terrible encore ferait suite à la guerre de ce temps. Une autre guerre encore pire commença sous le pape Pie XI. On sait que la Russie répandra ses erreurs dans le monde en provoquant des guerres et des persécutions dans l'Église. Le pape Jean-Paul II a dit de Fatima: «Le message en est un de repentir, d'invitation à la prière et au chapelet. C'est un avertissement.»

À Medjugorje, la très Saint Vierge invite à la conversion, à la prière, au jeûne, à la récitation du chapelet, au sacrement du pardon et l'avertissement est clair.

12. Que répondre à l'argument souvent mentionné concernant la durée et la fréquence des apparitions?

Les voyants sont formés et instruits individuellement par la Vierge Marie. Comme une pédagogue, Elle prend le temps. D'autre part, il ne faut pas oublier qu'ils ont été appelés à vivre et à transmettre un message; la Vierge les prépare à cela. Il y a aussi, comme le mentionne le père Faracy s.j., un aspect œcuménique. Il y a, entourant les villages qui composent la paroisse de Medjugorje, des régions musulmanes, orthodoxes et catholiques. Or la Vierge vient pour le monde entier.

13. Peut-on penser que la Vierge parle de catastrophe?

Oui, car une partie du message comprend dix secrets concernant des catastrophes imminentes et les moyens de les atténuer. Pour les atténuer, il faut la conversion totale par la foi, la prière quotidienne, la confession mensuelle, le jeûne, le chapelet (le rosaire).

14. Que doit-on comprendre de la vision prophétique du pape Léon XIII?

Selon ce que l'on peut savoir, le pape Léon XIII eut le 13 octobre 1884 une extase qui dura dix minutes. Son visage était blanc de lumière. Il aurait entendu deux voix: l'une douce, l'autre dure. C'était la voix de Dieu et celle de satan. Satan demanda à Dieu de lui laisser son Église pendant cent ans et il la détruirait. Dieu accepta. Le pape Léon XIII avait alors composé une prière à saint Michel afin que cette prière fut récitée à la fin de la messe.

Or ce siècle se terminait le 13 octobre 1984. Il y avait à Medjugorje ce jour-là 200 prêtres qui furent témoins de l'apparition de la Vierge aux voyants.

15. Qui peut dire que les apparitions sont authentiques?

C'est l'Église qui aura un jour à authentifier les apparitions dans ce petit village de Medjugorje en Yougoslavie. Cependant on peut déduire qu'elles sont authentiques en regardant les fruits. Ces jeunes gens sont trop simples et vrais pour être des acteurs. La doctrine est solide et les dépasse. Le diable ne voudrait jamais notre conversion par la foi, la prière, le chapelet, le jeûne et le sacrement du pardon. Les fruits des apparitions dans la vie de la paroisse et des pèlerins sont si positifs qu'ils sont une forte preuve que cela vient vraiment de Marie. C'est cependant aux autorités ecclésiastiques qu'il revient de porter un jugement définitif.

Conclusion

Nous avons voulu préparer un texte assez court afin de faire connaître aux gens ce qui se passe à Medjugorje. Ces apparitions de la Vierge interpellent et invitent le monde entier à la conversion.

Vous qui avez lu ce texte, informez tous vos proches et faites connaître ce que la Vierge demande. Allez plus loin dans la recherche de ce qui se vit à Medjugorje en lisant des volumes plus détaillés. La Vierge apparaît là pour nous transmettre un message de paix et de salut. Pendant les dix jours passés à Medjugorje, j'ai assisté à sept apparitions, j'ai prié avec ces jeunes tous les soirs. Le parfum de rose indéfinissable qui se dégageait d'eux après l'apparition était pour moi le signe que j'avais demandé à notre Mère du Ciel. Oui, Marie, femme bénie entre toutes les femmes, prie pour nous maintenant et à l'heure de notre mort.

Maison typique de Medjugorje.

*** INTERVIEW ***

17 octobre 1984

PÈRE TOMISLAV VLASIC, O.F.M.
Directeur spirituel des Voyants
ET
PÈRE MASSINO PASTRELLI, S.J.

ÉTAIENT PRÉSENTS:

Père Renato Valenti, o.m.
Père Guy Girard, s.ss.a.

— *Père Vlasic, nous connaissons comment les apparitions ont commencé. Nous sommes maintenant en octobre 1984. Pouvez-vous nous dire quelque chose sur les derniers messages?*

— Il y a des nouveautés sur deux plans: d'abord sur ce que la Madone fait, et sur ce que la Madone dit.

SUR CE QU'ELLE FAIT: Je peux dire qu'elle attire de plus en plus de gens; l'église est toujours remplie même en automne où, d'habitude, les gens se déplacent moins. Les gens viennent de toutes les parties de l'Europe et des États-Unis. Dans ces derniers temps, il y a eu la présence de beaucoup de prêtres. Samedi (13 octobre 1984), deux cents prêtres et cent cinquante-deux ont concélébré. Ils viennent en pèlerinage sacerdotal ou avec des pèlerins. On perçoit que la Madone attire de plus en plus, et celui qui est venu une fois a le goût de revenir.

SUR CE QU'ELLE DIT: La Madone continue à interpeller à la prière, au jeûne et à la conversion. L'intervention de la Sainte Vierge à attirer les gens est une chose pour moi sympathique, simple et très profonde. Voilà le dernier message donné aux paroissiens (vous savez qu'il a plu pendant trois semaines, les vignes sont presque détruites):

> «PENDANT L'ÉPREUVE, CONTINUEZ À OFFRIR VOTRE FATIGUE ET TOUT CE QUE VOUS AVEZ, À DIEU, ET NE VOUS INQUIÉTEZ PAS: VOUS DEVEZ SAVOIR QUE DIEU VOUS ENVOIE DES ÉPREUVES PARCE QU'IL VOUS AIME».

Dans ce message, nous voyons la Madone qui s'occupe de petites choses, même matérielles, et ce message nous dit que Dieu est présent partout et qu'Il s'occupe de tout. Les derniers messages nous font voir qu'Il suit les gens dans toutes circonstances.

— *Les gens de l'endroit, comment acceptent-ils ces messages?*

— Ils acceptent ces messages, mais il faut dire à tout le monde et à tous les pèlerins d'essayer de comprendre les apparitions de Medjugorje. Il y a une caractéristique qui fait que ces apparitions sont différentes des autres de Lourdes et de Fatima: celles-ci ont été de courte durée: quelques semaines ou quelques mois. Celles de Medjugorje ont commencé le 24 juin 1981, et durent encore aujourd'hui. On se pose la question: pourquoi elles sont si longues et si fréquentes. Les voyants répondent que la Madone a dit qu'il s'agit de ses dernières apparitions dans le monde, mais ils ne veulent pas expliquer le sens du mot «*dernier*» parce qu'ils disent qu'en l'expliquant, ils seraient obligés de révéler le secret. Au-delà de ces choses, il faut voir que la Madone guide le peuple de Medjugorje. En effet, Elle donne des messages sur *chaque pas de son cheminement*. Alors, si on veut comprendre les messages, il faut regarder le contexte; par exemple, pendant une crise que je ne veux pas décrire, j'ai posé la question à la Vierge par l'intermédiaire d'une voyante: «Qu'est ce que je dois faire maintenant?» Elle a répondu avec une paix profonde:

«PRIEZ, JEÛNEZ ET LAISSEZ FAIRE LE BON DIEU! VOUS NE POUVEZ PAS IMAGINER COMMENT DIEU EST PUISSANT!»

— Comme vous voyez, pour une question donnée arrive une réponse très simple, laquelle resplendit dans nos cœurs. Ainsi, tout au long du «cheminement» de ces gens, des pèlerins et de tous ceux qui suivent ces messages, viennent ces réponses pour la croissance spirituelle. C'est pour cela qu'il faut regarder cet aspect pour le futur. Ceux qui veulent vivre ces messages de Medjugorje doivent avancer dans la vie spirituelle. La Sainte Vierge veut que le monde avance pour approfondir et vivre sa foi. Il ne faut pas voir les messages comme une fin, mais en découvrir la profondeur; seulement ainsi peut-on en arriver à l'acceptation.

Ceux qui veulent comprendre les messages doivent aller jusqu'au bout pour en arriver à l'union avec Dieu. Je vois en ce moment tous les responsables du monde qui doivent se mettre du côté de ceux dans lesquels il y a eu un rejaillissement de la foi par ces événements. Eux aussi doivent approfondir ces messages, les vivre pour faire cheminer et conduire le peuple. La Madone a parlé aux prêtres par un message qui disait:

«MES TRÈS CHERS FILS, AUJOURD'HUI MON FILS JÉSUS M'A PERMIS DE VOUS RASSEMBLER ICI POUR VOUS DONNER CE MESSAGE À VOUS ET POUR TOUS CEUX QUI M'AIMENT. MES TRÈS CHERS FILS, PRIEZ CONSTAMMENT! DEMANDEZ À L'ESPRIT SAINT QU'IL VOUS INSPIRE TOUJOURS. DANS TOUT CE QUE VOUS DEMANDEZ, ET DANS TOUT CE QUE VOUS FAITES, NE DÉSIREZ QU'UNE CHOSE, CELLE D'ACCOMPLIR UNIQUEMENT LA SAINTE VOLONTÉ DE DIEU.

MES TRÈS CHERS FILS, MERCI D'AVOIR RÉPONDU À MON APPEL DE VENIR ICI!»

Sur le plan national, ce message n'a pas de signification, mais pour ceux qui ouvrent leur cœur, il peut aller toujours plus en profondeur dans la foi et faire avancer. Il s'agit d'un appel qui nous invite à approfondir chaque jour notre foi.

Un autre aspect du message à ceux qui regardent de loin et attendent que l'Autorité de l'Église se prononce à ce propos, la Madone a dit:

«IL FAUT SUIVRE L'AUTORITÉ DE L'É-GLISE, BIEN SÛR, MAIS AVANT QU'ELLE SE PRONONCE, IL FAUT AVANCER SPI-RITUELLEMENT, CAR ELLE NE POUR-RA PAS SE PRONONCER DANS LE VIDE, MAIS DANS UNE CONFIRMATION QUI SUPPOSE UNE CROISSANCE DE L'EN-FANT. PREMIÈREMENT DOIT AVOIR LIEU LA *NAISSANCE,* PUIS LE *BAPTÊ-ME,* APRÈS, LA *CONFIRMATION.* L'É-GLISE VIENDRA CONFIRMER CE QUI EST NÉ DE DIEU. NOUS DEVONS MAR-CHER ET AVANCER DANS LA VIE SPIRI-TUELLE, SECOUÉS PAR CES MESSA-GES.»

— *Je remarque que la Sainte Vierge porte à la lumière ce qu'en général on tient pour acquis. Il s'agit de choses très simples, mais dans la pratique tout devient plus difficile, n'est-ce-pas?*

— Bien sûr, mais si nous regardons l'Histoire de l'Église et l'Histoire du Salut, le problème est que nous ne sommes pas allés en profondeur, non parce que nous n'avions pas les moyens, ou encore parce que dans cette période de l'Histoire de l'Église nous avons eu des moyens extraordinaires, *mais simplement parce qu'il y a eu des personnes et des communautés qui ne sont pas allées en profondeur.* À cet égard, je pense à une expérience d'il y a quelques semaines: je suis allé dans une chapelle de religieuses; elles m'ont montré un nouveau crucifix; elles m'ont demandé ce que j'en pensais. J'ai répondu qu'il s'agissait d'une projection. En effet, j'ai vu le Christ qui n'était pas debout, ni suspendu; je ne l'ai pas vu ni pleurer, ni souffrir; je l'ai vu comme quelque chose de superficiel, non comme *quelqu'un qui était transpercé, souffrant,* mais comme un homme moderne, qui ne pleure pas, qui manque de profondeur. Si nous voulons que ces messages amènent le salut comme l'Évangile, il faut souffrir, pleurer, souffrir en profondeur.

— *Une autre impression que j'ai, c'est que la Madone demande toujours davantage, Elle engage de plus en plus ce que vous appeliez cheminement, mais nous trouvons que les personnes ont une façon particulière de répondre, et, surtout, elles ressentent la puissance de Dieu. Plus elles mettent leurs capacités en œuvre, plus elles reçoivent. Nous avons, par exemple, l'impression qu'il est difficile de jeûner, mais si on le fait cela devient savoureux, facile, etc.*

— J'ai deux remarques à faire: lorsque la Madone nous donne des obligations nouvelles, c'est pour nous pousser en profondeur. Il faut remarquer une autre chose: le 5 août 1984, j'ai appelé les gens pour réciter une partie du chapelet pour un bon résultat du congrès eucharistique international. J'ai posé la question aux gens s'ils étaient prêts à réciter tous les jours une partie du Rosaire. Ils ont répondu: «OUI», mais, une fois sortis, ils se sont repentis, pris de panique, par peur de ne pas avoir le temps de le faire. Un mois après, un monsieur a dit: «Maintenant, je peux dire 5 chapelets par jour.» Lorsque la personne s'engage, elle découvre qu'elle a toujours plus de temps; lorsqu'une personne aime, elle peut aimer toujours davantage. Au fur et à mesure qu'on s'intéresse à Dieu, les capacités augmentent, comme l'Évangile nous dit: «CELUI QUI POSSÈDE, IL LUI SERA DONNÉ PLUS ENCORE».

— *J'ai remarqué aussi que ceux qui disent: «On dit que la Madone apparaît» ne produisent rien. Ceux qui disent: «Marie est à Medjugorje» expérimentent une puissance nouvelle. Le message principal est que Marie est ici, Elle est partout, mais Elle se manifeste ici, et c'est à cela qu'est rattachée la grâce. Qu'est-ce que vous en pensez?*

— Il s'agit d'un mystère, mais je peux vous dire que la Sainte Vierge est partout où il y a un cœur ouvert. Mais à Medjugorje, en particulier, il y a la présence de la grâce. Un des derniers messages donnés à la paroisse de Medjugorje, à la fin de septembre, est celui-ci:

> «REMERCIEZ DIEU QUI M'A PERMIS D'ÊTRE PARMI VOUS AUSSI LONGTEMPS: C'EST UN DON SPÉCIAL!»

C'est normal! Il y en a qui acceptent et d'autres qui n'acceptent pas. Nous devons marcher avec ceux qui acceptent et ceux qui n'acceptent pas. Comme prêtre, je dois m'embarquer avec tout le monde pour suivre les racines de mon Ordre. Comme les saints l'ont fait dans le passé: saint François, saint Ignace. Ils ont grandi dans l'expérience de la prière, du jeûne, etc. Un Ordre ne peut pas se renouveler sans retourner à ses racines. Saint Ignace a pratiqué la prière. Tout le monde, croyant ou non, peut faire appel au cœur de l'Église qui est le noyau de la sainteté, et peut cheminer, avancer ensemble; de cette façon, il découvrira la grâce de la Madone et il prendra conscience de l'aide de la Madone. Beaucoup de prêtres savent toutes ces choses, mais souvent ne sont pas capables de les traduire en pratique. On parle de pénitence, mais il est difficile de l'appliquer. Mes confrères dans la communauté me respectent, dans ma décision de jeûner, mais ils ne partagent pas l'idée.

— *Nous sommes en train de découvrir la prière profonde et le jeûne; nous avons (les prêtres) apporté beaucoup d'éléments de psychologie, de sociologie, de science sur les autels pour dire les choses en termes scientifiques.*

— Lorsqu'on a demandé à la voyante: «Tu as grandi dans la foi?» Elle a répondu: «Oui». Mais, à la question: «Tu as grandi dans la connaissance de Dieu par le catéchisme?» Elle répondit: «Non». Il s'agit d'un texte profond, mais théorique. Moi aussi, j'ai apporté la science aux gens au lieu de leur donner Dieu. Dieu donne par la prière, la pénitence, mais il est difficile de s'embarquer sur cette route *si la valeur du jeûne n'est pas reconnue*. Ils ont peur de faiblir, il faut travailler, etc. Il faut souligner qu'il existe deux forces dans la personne avec lesquelles nous travaillons: *la force d'agressivité* qui lutte et qui a besoin de manger, d'être fort sur le plan humain, mais il existe une autre *force: intérieure,* comme nous dit saint Paul. Nous devons découvrir dans le jeûne cette force intérieure, laquelle nous vient de Dieu. Lorsque je renonce à tout pour m'appuyer sur Dieu, je suis fort de sa force.

— *Il y en a qui disent que les pèlerinages ne sont pas importants; on peut prier chez soi.*

— C'est comme dire aux gens de ne pas aller faire une promenade; ces personnes ne peuvent pas découvrir de nouveaux horizons — cela sur le plan humain.

Sur le plan spirituel, c'est pareil. À ces lieux de pèlerinage, les gens reçoivent une vive force, des grâces particulières. (Il faudrait y aller plus d'une fois par année). À mon avis, c'est le temps qu'on se réveille pour réanimer tous les sanctuaires de Marie, pour grandir dans la foi. Chaque sanctuaire doit être comme une étape, un refuge pour montrer la route et faire avancer le peuple de Dieu. Lourdes, Fatima, Guadeloupe, Medjugorje seront de vrais sanctuaires s'ils sont capables de développer *la dynamique spirituelle.* Nous pouvons rester fidèles à la Madone seulement avec cette dynamique. Quand l'Ange a demandé à Marie si Elle voulait devenir Mère de Dieu, Marie a prié et accepté. Elle a fait grandir l'Enfant, etc. Nous devons accepter cette même dynamique si on veut vivre le rôle de Marie. L'immobilité tue, le mouvement fait vivre. Il faut que les prêtres donnent l'espoir du salut apporté par Marie aux gens.

— *Ce peuple en marche est la Paroisse. Vous avez déjà dit que la Sainte Vierge s'adresse à tout le peuple de la paroisse; pouvez-vous expliquer cette affirmation?*

— La Madone s'adresse à la Paroisse et *à tous ceux qui veulent la suivre*. Elle s'adresse à la Paroisse parce que celle-ci demande toute une vie. En effet, ceux qui rentrent dans la Paroisse reçoivent quelque chose qu'ils ne peuvent pas comprendre sur le plan de la grâce. Donc, il est important que la Paroisse exerce ce rôle. L'idéal de la Paroisse doit être de vivre les messages de la Madone. Cela permettra aux gens qui y vont de recevoir cette force.

— *Les gens qui sont arrivés hier disaient qu'ils avaient été marqués par l'intensité de la prière intérieure exempte de distractions — même les jeunes se sont engagés dans la prière.*

— Nous, prêtres, nous devons comprendre une chose: souvent nous discutons, nous prêchons de façon scientifique, et les gens ne nous suivent pas. Si nous prions, les gens nous suivront; nous devons être pratiquants, montrer l'exemple de l'intériorité. Si nous vivons notre christianisme sans s'occuper de ce que les autres disent, alors ils sentiront la force du message.

— *Encore un mot. Il y a quelques mois, vous nous communiquiez, parmi les messages,* la sensibilité de la Madone pour l'Eucharistie.

JE ME SOUVIENS D'UNE PHRASE:

«LORSQU'ON VIENT À LA MESSE, NE PAS COMMUNIER SI ON NE SE PRÉPA-

RE PAS ET SI ON N'A PAS LE TEMPS DE REMERCIER.»

— Il y a des messages simples et profonds sur l'Eucharistie. J'en nomme un: Une voyante a dit une fois que la Madone pleurait et disait:

«VOUS VENEZ DANS L'ÉGLISE ET VOUS RETOURNEZ AVEC LA TÊTE VIDE. JE NE VEUX PAS VOUS GUIDER AINSI!»

Une fois Elle a dit:

«SI TU VEUX VIVRE TA MESSE, COMMENCE À PRIER EN PARTANT DE LA MAISON; VIENS, CHAQUE FOIS RECUEILLI, JAMAIS Y ASSISTER SANS AVOIR LE CŒUR PUR, JAMAIS SORTIR DE L'ÉGLISE SANS REMERCIER.»

Cela nous donne une leçon: il s'agit de petites choses, on veut faire toujours vite. Le 16 juillet 1984, la Madone a dit à Elena qu'Elle ne lui apparaîtrait plus pour un certain temps, afin de l'éprouver. La jeune fille a prié et la Madone lui est réapparue en disant:

«BRAVO! TU N'AS PAS PERMIS À SATAN DE T'ENTRAÎNER; LA MESSE QUE TU AS VÉCUE CE SOIR EST IMPORTANTE PARCE QUE TU L'AS VÉCUE AVEC RECUEILLEMENT, TU AS REÇU UN DON. DONC, JE T'AI APPARU PLUS TÔT.»

Voilà la force de l'Eucharistie lorsqu'on La vit avec le cœur! Dieu veut sauver le monde et celui qui veut Le suivre en est capable même s'il doit passer à travers l'épreuve, puisque c'est Dieu qui a décidé de réaliser le salut.

— *Comment avez-vous vécu le fait d'avoir été transféré de place (transféré à Vitina); lorsque vous avez laissé Medjugorje, quelle a été la proximité de Dieu pour vous?*

— Vous devez comprendre que la Madone n'apparaît pas à quelqu'un pour lui-même, mais pour l'approcher de Dieu; donc, je peux être très proche de Dieu ici. Mon attitude doit être d'adorer Dieu et de m'abandonner à Lui en toute situation puisque c'est Lui qui me guide. Même dans les difficultés, c'est Dieu qui programme tout, il nous reste à *nous abandonner dans Ses bras.*

— *Je pense qu'en venant ici, vous allez prêcher pendant la Messe comme à Medjugorje puisque vous ne pouvez pas séparer votre expérience de votre vie, et je prévois que les gens vont vous écouter et vont venir nombreux, attirés par le message de la Madone, puisqu'il s'agit d'un peuple napolitain qui répond bien, en général, aux messages célestes.*

— C'est vrai! Nous nous trompons lorsque nous pensons que les gens sont attirés seulement par des détentes matérielles ou des divertissements. Ils ont faim de Dieu. Dans nos églises, nous devons donner Dieu, non de la façon dont on le fait dans une école. Si les gens voient le bon exemple d'une vraie vie chrétienne en nous, ils nous suivent. Pour vivre la prière, il ne faut pas être des philosophes. Nous, les prêtres, nous parlons de la prière de façon théorique; nous cherchons des thèmes, etc. lorsqu'il suffirait d'être simple, de vivre la prière: s'agenouiller, prendre le chapelet dans nos mains, réfléchir, désirer prier. Le bréviaire, le chapelet, l'Évangile, les sacrements devraient nous suffire.

— *Quel autre message en ce mois (octobre 1984), la Madone a-t-Elle donné à la Paroisse, à part ceux que vous avez déjà expliqués?*

— À chaque fois, la Madone a dit:

«MES CHERS ENFANTS...»

Et les voyants m'ont dit de répéter aux gens: «La Madone vous dit:

«MES CHERS ENFANTS»

Cette peinture
de la Vierge Marie
correspond
à la description
des voyants.
Personne
ne peut décrire
la beauté
de son visage,
ni la splendeur
de ses vêtements.
Alors imaginons
sa BONTÉ!

Je vous salue, Marie, comblée de grâce;
le Seigneur est avec vous,
vous êtes bénie entre toutes les femmes
et Jésus, le fruit de vos entrailles est béni.

Sainte Marie, Mère de Dieu,
priez pour nous pécheurs,
maintenant et à l'heure de notre mort. Amen.

Les voyants au pied de l'autel

Je crois en Dieu, le Père tout-puissant,
Créateur du ciel et de la terre
et en Jésus-Christ, son Fils unique, notre Seigneur,
qui a été conçu du Saint-Esprit,
est né de la Vierge Marie,
a souffert sous Ponce Pilate, a été crucifié,
est mort, a été enseveli, est descendu aux enfers;
le troisième jour est ressuscité des morts,
est monté aux cieux,
est assis à la droite de Dieu le Père tout-puissant
d'où il viendra juger les vivants et les morts.
Je crois au Saint-Esprit, la sainte Église catholique,
la communion des saints, la rémission des péchés,
la résurrection de la chair, la vie éternelle. Amen.

Yvan, Maria, Père Armand Girard,
la mère d'Yvan, Père Guy Girard,
le Père d'Yvan.
Yvan est timide.
Il suffit de créer des liens,
alors on découvre un grand cœur.
Un adolescent capable de réflexion,
de profondeur, de prière.
Les apparitions de la Vierge Marie
le conduisent à ce regard intérieur
sur Dieu qu'est la prière.

Chapelle des apparitions.
L'interdiction de se rassembler
sur la colline des apparitions,
obligea les voyants
à venir dans cette pièce.
Une sérénité et une grande paix intérieure
nous envahissent dans ce lieu.
Une croix, une table, une statue.
Rien ne vient ternir notre prière.
Nous redevenons enfants,
notre Mère est présente.

Ivanka, Jacob, Vicka
font le signe de la croix
avant de commencer la prière...
Ils le font avec un immense respect.
C'est un signe de croix plein de Trinité.
Marie, ma Mère apprends-moi
à faire le signe de la croix,
lentement, dignement,
comme si c'était toujours la première fois.

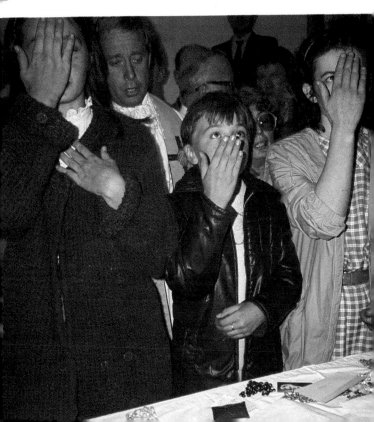

Yvan, Maria, Ivanka.
La Vierge Marie est là!
Simultanément ils se sont mis à genoux.
Les yeux se sont fixés sur Elle!
Elle, la femme bénie entre toutes les femmes,
Mère de Dieu, notre Mère.
Elle est là… un silence s'est fait.
Il était plein de Dieu.
L'Amour au rendez-vous quotidien…

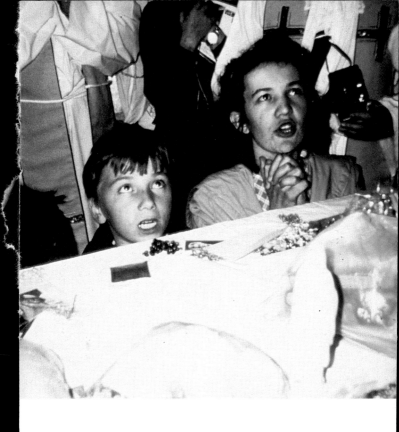

La Vierge Marie a dit:
« Notre Père... » Ils ont continué:
« qui est aux Cieux
que ton nom soit sanctifié ».
Puis, pour nous c'est le silence,
pour eux, ils ont parlé avec Marie.
Les lèvres bougent,
ils sourient, ils chantent.
Ils ne sont plus dans le temps.
C'est l'extase, un goût d'éternité!

« La messe sur le monde ».
Ces prêtres viennent de partout.
L'Évangile sera lu en cinq langues.
Avant la célébration,
ils avaient récité deux chapelets.
Le chapelet dont certains ont dit:
« Prières dépassées. »
Et pourtant la Vierge insiste...
seul le cœur simple comprend!
Tout devient « dépassé » pour celui ou celle
qui n'avance pas dans sa vie de Foi.

L'église de Medjugorje est remplie de pèlerins.
Ils récitent les prières
demandées par la très sainte Vierge Marie.
Les pèlerins qui n'ont pu entrer (faute de place)
ont récité le Notre Père
et ont vu la danse du soleil.

Notre Père qui es aux cieux,
que ton nom soit sanctifié,
que ton règne vienne,
que ta volonté soit faite sur la terre comme au ciel.
Donne-nous aujourd'hui notre pain de ce jour;
pardonne-nous nos offenses
comme nous pardonnons aussi à ceux qui nous ont offensé.
Et ne nous soumets pas à la tentation,
mais délivre-nous du mal. Amen.

Danse du soleil

Deux photos prises à quelques secondes d'intervalle.
Remarquez le phénomène de la lumière.
Photos tirés de «l'Informateur», Vol. 4 – Février 1985.

Devant tant de merveilles,
rendons grâce, amour et louanges,
à la Trinité Sainte.

Gloire au Père
au Fils et au Saint-Esprit
au Dieu qui est
qui était et qui vient
pour les siècles, des siècles. Amen.

Jacob a joué au soccer.
Il est joyeux et bout en train.
Tenant le ballon,
il est fier de sa victoire.
Son comportement si naturel
nous prouve son équilibre!
Il passera plusieurs heures
à prier la Vierge Marie.
Lui, comme tous les autres,
ne souffre pas d'hallucinations!
Après la mort de sa mère,
il en parlera à la Vierge.
« Elle est avec moi »,
— lui dira-t-Elle ».

Jacob, Maria, Vicka, Père Guy Girard.
C'est la maison où Jacob
demeure depuis la mort de sa mère.
Jacob est sportif et espiègle.
Il aime jouer au soccer.
Maria est douce et sereine.
La prière semble être le «tout» de sa vie.
Vicka est souriante et expressive.
Elle accepte avec discrétion
les contacts avec les pèlerins.
Faible de santé,
elle s'abandonne totalement à la Vierge.

Que les gens acceptent que la Vierge les embrasse en disant:

«MES CHERS ENFANTS»

La Madone suit chacun en l'appelant:

«MON CHER FILS»

même celui qui est faible, qui est malade... La Madone embrasse chacun en disant:

«MON CHER ENFANT»

Que ce message soit suffisant pour votre vie!

— *Vous avez dit que beaucoup de gens sont affamés de Dieu, et c'est vrai, mais nous remarquons que beaucoup se tournent vers la religion orientale, vers ceux qui suivent les gourous, gens qui vivent ce qu'ils disent.*

— Il y a une certaine curiosité! De plus, nous avons présenté Jésus souvent sur un plan théorique, nous n'avons pas apporté la dimension de la pratique de la foi, et nous n'avons pas été capables d'introduire les jeunes dans la vie spirituelle en profondeur. La théologie, dans ces dernières années, est devenue rationnelle, donc elle n'est pas capable de guider les gens dans la profondeur de la vie spirituelle. Nous avons perdu la mystique du Moyen Âge. Rahner a dit: «Dans les années 80, les chrétiens qui croiront en Jésus seront des chrétiens mystiques.» Lorsque nous chercherons Jésus avec conviction et avec profondeur, nous ne sentirons plus le besoin de nous tourner vers les gourous d'Orient.

— *Il y a une différence entre ces cultures orientales qui fascinent le christianisme.*

— La différence consiste dans la religion. Le christianisme nous a été révélé par Jésus Christ et dans la plénitude de la révélation de Jésus Christ. Le Boudhisme nous donne une sagesse humaine et religieuse, mais il manque la Révélation.

Nous n'avons pas rencontré un Dieu philosophe, absolu, etc., mais un Dieu Père, Mère, Frère. Alors, nous sommes en familiarité avec Dieu et les choses d'au-delà ne nous sont pas inconnues, c'est pour cela qu'il est plus facile d'avancer dans la vie spirituelle. Avec la Révélation il est plus facile d'aller vers Dieu.

— *Dans un message, la Madone a dit:*

«DITES À TOUS MES ENFANTS DE NE PAS ATTENDRE POUR SE CONVERTIR.»

— *Pouvez-vous nous dire en quoi consiste cette urgence de la Madone?*

— Il y en a qui pensent tout de suite à la fin du monde. Je trouve que l'urgence de la conversion du cœur est très importante. Il y en a qui sont loin de Dieu, donc il faut qu'ils soient sauvés par moi, par vous, par nous tous. L'Église arrive à une pleine lumière plus vite et les autres doivent être éclairés par Elle. La Madone dit que les secrets sont conditionnés. Si nous vivons ces messages avec la profondeur de notre être, alors les autres seront éclairés et poussés vers le salut.

— *En cette période, nous entendons souvent parler des apparitions, manifestations sacrées qui se rapportent à Marie et à Dieu. Il s'agit presque d'infraction (mot peut-être trop fort) qui fait que l'événement de Medjugorje est mêlé à une vision mariale d'une Vierge qui pleure, qui a le visage couvert de larmes.*

— Je ne peux pas discuter sur les événements pratiques des apparitions, car je ne connais pas les faits particuliers, mais je sais que toutes les grâces qui nous font aller vers Dieu doivent être accueillies. L'Église a le rôle d'accueillir et de vérifier l'authenticité des faits. *Mais, à mon avis, nous nous trompons si nous attendons que l'Église se prononce avant de prendre une attitude.* Donc, dans tous ces événements, nous devons accepter et accueillir tout ce qu'il y a de positif, et qui nous mène à Dieu, et repousser le négatif. Dans un message, la Madone a dit à Elena: (lorsque nous avions posé une question sur le discernement des esprits)

> **«TOUT CE QUI NOUS POUSSE VERS DIEU, C'EST UN DON DE DIEU, CAR SATAN EST UN ÊTRE NÉGATIF EN SOI-MÊME ET IL VOUS MÈNE VERS LE NÉGATIF.»**

Nous, prêtres, nous devons accepter et protéger les grâces qui nous poussent vers Dieu, et enlever l'élément humain, tout ce qui pourrait être produit par l'impulsion psychique. Nous connaissons des Saints qui ont souffert de maladies nerveuses, mais ils se sont sanctifiés parce qu'ils ont accepté la grâce divine.

— *Nous, les Italiens, nous sommes pessimistes face à la jeunesse qui suit le mauvais chemin, et pourtant je travaille dans un collège où je vois des élèves qui me font espérer; je connais aussi beaucoup de mouvements très bons et très fréquentés. Pourquoi ce pessimisme, même parmi les religieux qui, pris par leur travail, ne se rendent même pas compte des richesses qu'ils ont entre les mains? Est-ce que vous pouvez nous dire un mot d'espérance regardant notre jeunesse italienne?*

— Moi, je suis très optimiste face à la jeunesse, mais nous devons nous rappeler que Jésus nous a envoyés prêcher la Bonne Nouvelle, non de façon théorique; Il nous a donné la Force et l'Esprit-Saint. Avec Lui, nous sommes plus forts que le mal (la drogue, le sexe, etc.). Avançons avec courage et ne prétendons pas changer une paroisse ou le monde à la première prédication. Commençons de façon pratique par les grands-mères de nos paroisses et nous arriverons à conquérir les enfants, les jeunes. Il faut nous mettre sur la route de la prière, du jeûne pour interpeller le monde. Et bientôt nous découvrirons les moyens pour améliorer le monde.

— *Père, pouvez-vous me donner un message que la Madone voudrait dire à mes jeunes aujourd'hui? En retournant dans ma communauté, et au milieu de mes jeunes, qu'est-ce que je pourrais leur dire?*

— Lorsque vous allez vers ces jeunes, allez-y toujours avec la Madone, et en Son nom, jamais tout seul.

Les apparitions sont une grâce spéciale; nous n'aurons jamais fini de remercier le Ciel pour ce Don. La racine de toute spiritualité, c'est la mort et la résurrection. Lorsque nous parlons de cela aux gens, nous réveillons leur foi et ils nous demandent quoi faire... Nous devons dire aux gens ce qui est écrit dans l'Évangile. Nous devons leur dire: « Vivons la messe, vivons la charité envers le prochain! » Le rôle de la Madone est le rôle de la mère qui réveille, qui incite à la prière, à agir avec la foi. Faites en sorte donc que vos jeunes soient touchés et réveillés dans leur foi et dans leur amour.

— *Une question sur les voyants: on nous dit que Elena* a une lumière intérieure et voit la Madone. Marijana La voit à l'église, durant la Sainte Eucharistie.*

— Il ne faut pas s'arrêter à des détails. Les deux voient la Madone tous les jours; elles entendent Sa voix. Elena a un don plus développé, un cheminement plus profond. De toute façon, il s'agit d'un don qui nous mène à des expériences mystiques.

— *Une difficulté dans l'acceptation des messages est celle-ci: on remarque une certaine contradiction et nous savons que la Madone ne peut pas se contredire.*

— À mon avis et à ma connaissance, il n'y a pas de contradictions. Celles-ci peuvent exister à l'intérieur de la personne qui parlait, un oubli sur des mots à cause de la fatigue ou bien, si on veut souligner un aspect plutôt qu'un autre du message. Dans la Bible aussi on peut trouver ce genre de contradictions. Nous devons être

---

* Elena Vasilij et Marijana Vasilij ont été gratifiées d'un charisme. Elles ne voient pas la Vierge, mais la perçoivent « par le cœur ».

objectifs et chercher l'essentiel du message de la Madone qui vient des lèvres des voyants qui, à ce niveau, sont d'accord et ils sont sûrs à cent pour cent.

— Une dernière réflexion sur l'union entre la prière et le jeûne. Cette insistance du jeûne, de la part de la Vierge, scandalise un peu les gens et, en particulier, les prêtres (l'un d'eux m'a dit que le jeûne c'est un point d'arrivée et non de départ). Pouvez-vous nous donner quelques éclairages sur ce moyen qui conduit plus vite vers Dieu?

— À mon avis, les deux vont ensemble. On ne peut pas jeûner sans la prière profonde et on ne peut pas prier sans jeûner.

Il s'agit de la même chose: quand je jeûne, je renonce à quelque chose pour Dieu (la faim ne m'intéresse pas) parce que je cherche Dieu. Je renonce aux plaisirs de ma vie, j'ai de la joie, même dans la souffrance, parce que je cherche Dieu. Or, la prière, c'est chercher Dieu, donc la prière et le jeûne sont la même chose.

Je ne suis pas d'accord avec le prêtre qui dit que le jeûne est le point d'arrivée. Au contraire, si je veux aller vers Dieu, il faut que je commence à me détacher de quelque chose. Dans le sens large, le jeûne, c'est le détachement du mal et de tout ce qui m'entraîne loin de Dieu.

*** TÉMOIGNAGE ***

DIX JOURS À MEDJUGORJE
11 AU 21 OCTOBRE 1984

Père Guy Girard, s.ss.a.

C'est avec une très grande joie que j'écris ces lignes pour témoigner de ces dix jours de grâce passés à Medjugorje.

La retraite sacerdotale à Rome était terminée. Six mille prêtres et plus d'une centaine d'évêques y avaient participé. Le Saint Père avait célébré l'Eucharistie avec ces prêtres venus de pays différents. Cette célébration fut merveilleuse et le Pape pleura de joie quand lui fut présenté le livre des signatures de chacun des prêtres avec le nom de leur pays d'origine. Une grande joie inondait mon âme et mon cœur, mais je restais insatisfait. Je ressentais encore une soif. Il y avait une autre source où je devais boire. J'étais venu à Rome comme pèlerin; j'y avais prié beaucoup et j'avais vécu l'universalité de l'Église avec mes frères prêtres.

Quittant la magnifique basilique St-Pierre avec huit prêtres canadiens, nous allions nous retrouver dans une autre basilique, non construite par des hommes, mais par la Vierge Marie, au petit village de Medjugorje, en Yougoslavie. La Vierge y apparaît tous les jours depuis le 24 juin 1981. J'avais lu sur ce sujet et des amis m'en avaient parlé. Bien simplement, j'avais demandé à la Vierge de planifier ce voyage pour mon frère, le Père Armand, et moi, si telle était la volonté du Père éternel. Marie a exaucé ma prière. Elle a tout planifié. Mystérieusement conduit par Elle pendant ces dix jours, j'ai vécu une expérience spirituelle incroyable. Dans toute ma vie, il n'y a rien eu de comparable. Après les sacrements et le sacerdoce, c'est là que la grâce de Dieu a coulé à flots.

Lieu des premières apparitions. « Medjugorje, terre bénie! »

Dès la première journée, nous avons prié dans l'église de Medjugorje, qui semble avoir surgi du sol de cette petite plaine entourée de montagnes. On y a prié avec des centaines de pèlerins arrivés de partout très tôt dans l'après-midi. On a récité un chapelet à 17 heures, suivi d'un deuxième et, vers 17:45 heures, le vicaire de la paroisse, le Père Barbarick, a invité les prêtres à se joindre aux pèlerins qui occupaient déjà la chapelle des apparitions.

Quelques instants après, les voyants sont arrivés; ils se sont placés face à l'autel et ont commencé la prière par le signe de la croix. Mais, quel signe de croix! Un signe de croix plein de TRINITÉ. Quand la Vierge apparût, les voyants s'agenouillèrent simultanément, les yeux fixés sur Elle. La beauté et la sérénité de leurs visages reflétaient leur bonheur. Mais ces mots humains ne peuvent décrire l'extase; ça ne se décrit pas, ça ne peut que se voir, et nous avons vu cette extase des voyants…!

La Sainte Eucharistie fut célébrée, et l'immense foule de pèlerins a vécu *comme jamais* la grandeur de ce mystère. Dans un recueillement et avec un respect, on participe à l'offrande de Jésus qui s'offre au Père pour le salut du monde. Marie seule pouvait préparer les cœurs à cet acte sublime. C'était le premier jour: une sorte de «création». Il n'y a rien à comprendre, même et surtout si cela n'est pas divin.

Et il y a eu une deuxième journée. Providentiellement, les huit prêtres canadiens que nous étions avons rencontré Maria, l'une des voyantes. Simplement, elle nous a accueillis chez elle. Dans le petit salon, sa mère nous a servi un café. Nous avons causé un peu avec les limites que nous imposait la langue, malgré l'aide d'une

13 octobre 1984. Au sous-sol du presbytère, près de 150 prêtres regarderont l'extase des voyants.

interprète. Puis, nous avons prié la Vierge ensemble. Elle unissait nos cœurs dans une même prière. Nous avons demandé à la Vierge de nous donner un message, par Maria, à l'apparition du 13 octobre, notre troisième jour à Medjugorje.

Comme tous les jours, l'église était remplie. Nous étions deux cent prêtres. Nous ne pouvions aller dans la chapelle des apparitions. Tous les prêtres se rendirent au sous-sol du presbytère, sur l'invitation du pasteur de la paroisse. Les jeunes vinrent y prier la Vierge. Elle leur apparut plus longtemps. Une beauté se dégageait de chacun des voyants; une beauté particulière selon leur personnalité et leur âge. La Vierge donna un message à Ses prêtres.[1]

Ce message ne pouvait pas venir de l'imagination de Maria. Les prêtres qui étaient là le savent bien!

Le 14 octobre au matin, nous quittions déjà Medjugorje en voiture, pour nous rendre à Split y prendre le bateau et traverser en Italie. Pendant le trajet en voiture, je sentais au fond de mon cœur la pressante invitation à demeurer une semaine de plus. Pourquoi? Je ne sais pas! Mais, plus nous nous éloignions de Medjugorje, plus l'appel se faisait pressant. C'était comme une vague incessante qui frappait et m'interpellait. Je ne savais vraiment pas le pourquoi de cet appel qui se mêlait aux AVÉ que je récitais. Mais la certitude se faisait plus grande. Ce n'était pas une obligation, ni même un besoin. C'était un appel de la Vierge. Je le savais! Sans comprendre, j'en étais certain.

Ce n'est qu'en descendant de la voiture que je partageai ces impressions avec mon frère jumeau, prêtre lui aussi. Il avait ressenti la même chose. J'avais demandé ce signe à la Vierge afin d'éviter toute illusion.

---

1. Ce message est donné à la page 10 du texte intitulé: MEDJUGORJE, TERRE BÉNIE.

Nous sommes donc retournés à Medjugorje après avoir quitté nos compagnons de voyage. Cela n'a pas semblé les surprendre, au contraire, ils nous encouragèrent à y retourner et à puiser davantage à cette source, afin de partager avec eux ce que nous allions vivre.

Ce fut une joie de retrouver ce petit village devenu une «terre bénie». Nous avons reconnu des visages marqués par le soleil et le travail. Ces femmes qui travaillent laborieusement et ces hommes qui cultivent vigne et tabac étaient devenus nos frères et sœurs. Combien de fois ils nous saluaient et nous présentaient des grappes de raisins. Ils ne comprenaient pas notre langue et nous ne comprenions pas la leur, mais leur charité et leur sourire nous disaient l'amour de Dieu et l'amour du prochain.

Je me souviens de cette vieille dame qui marchait vers la montagne de la croix et qui offrit son bâton de marche à un diacre; aucune parole, mais quel geste de

Visage ridé et bruni par les longues journées. En son cœur monte une prière incessante.

charité! Il ne faisait plus de doute en moi que la Vierge venait régulièrement ici à Medjugorje. Tous ces gens révélaient, par leur vie enracinée dans la prière constante, le visage de Jésus.

Marie avait façonné leur visage à l'image de Son Fils. Trois heures par jour et sept jours par semaine, hommes, femmes, adolescents, adolescentes, *tous prient!* Il est difficile de ne pas croire que cela vient du Seigneur. On ne pourra jamais éteindre ce feu d'amour allumé par la Vierge Marie dans cette terre yougoslave. Ceux qui n'y croient pas, qu'ils s'y rendent!, avec un bâton à la main comme vers une «TERRE PROMISE», et non avec une caméra pour y chercher le merveilleux ou l'extraordinaire.

Je n'oublierai jamais la nuit où nous avons prié sur la colline des apparitions.

Maria, l'une des voyantes, nous accueillait toujours. Nous étions de la famille, mon frère et moi. Nous partagions le pain que faisait sa mère. De cette chaleureuse maison, dont la cour arrière donne sur la colline des apparitions, nous avons gravi le sentier pour rejoindre le groupe des voyants et quelques autres jeunes. Là, cachés par quelques arbustes, ignorés des visiteurs insolites, nous avons prié la Vierge, nous avons chanté ensemble jusqu'à minuit. Le chant et les AVE récités ne se perdaient pas dans la nuit déjà très froide. Tout montait au cœur de la Vierge Marie comme un parfum précieux que la Servante du Seigneur présentait à la Trinité.

Rien de faux dans le cœur de ces jeunes. Ils savaient que nous étions là, deux prêtres avec eux. Ils savaient combien nous les aimions! Cette affection que nous avions pour ces jeunes n'était pas d'abord parce que la Vierge leur apparaissait, mais parce qu'ils étaient des priants.

Et ne s'oubliera jamais cette autre nuit où nous avons gravi la montagne de la croix! Secrètement, un mot se

Une des croix placée sur le sentier conduisant à la montagne de la croix.

transmettait l'un à l'autre pour réunir un groupe auquel nous allions nous joindre. Là encore, la nuit était froide; nous marchions en récitant le Rosaire. On éclairait le sentier discrètement avec une petite lampe et, rendus au sommet, après une heure de marche, les quelque quarante personnes s'inclinèrent longuement dans le silence. Puis, debout, on se rassemblait pour chanter la Vierge, et réciter le chapelet. Il y avait communion avec le Ciel... Rien de factice, rien de préparé à l'avance, rien de programmé. Spontanément les cœurs s'ouvraient pour prier sous l'inspiration de l'Esprit. Puis, nous sommes redescendus de la montagne, et le groupe se dispersa pour aller réciter le Rosaire dans des maisons. Les pèlerins et les prêtres étaient toujours nombreux. Une ardente prière pendant trois à quatre heures par jour montait vers le Ciel. Quantité de pèlerins assoiffés d'absolu et de pardon allaient recevoir l'absolution.

Dans cette église, personne n'est conditionné par les autres. On vient prier. Des vies sont transformées. Des retours vers Dieu s'opèrent. Des renouvellements d'une foi *habituée* se multiplient: on ne pourra jamais être ce qu'on était. Tout s'allume dans le cœur de milliers de pèlerins. La communauté chrétienne de Medjugorje fait «bloc» avec la prière des voyants, qui ne se croient en rien supérieurs aux autres. Il y a aussi ces jours de jeûne au pain et à l'eau, que l'on observe pour demeurer fidèle à sa propre conversion, et pour implorer la conversion du monde.

Oui, je ne puis croire que des fruits aussi bons ne soient pas de Dieu. Personnellement, j'ai la certitude que Marie vient une fois de plus donner un message pressant à l'humanité. Marie rappelle avec insistance les incitations de l'Évangile à la prière constante, à la conversion, à la foi et au jeûne. Certes, l'Église se prononcera un jour sur l'authenticité des apparitions, *mais nous n'avons pas à attendre pour nous convertir.*

Si je crois avoir vu vivre en 1984 une communauté semblable à celle de la primitive Église, si je crois que l'expérience spirituelle vécue en ce lieu ne peut être que de Dieu, alors je n'ai pas le droit de me taire.

Conclusion

1. Ces dix jours à Medjugorje m'ont permis de rencontrer la plupart des voyants. Le contact avec eux me donne la certitude qu'ils sont parfaitement équilibrés.

2. Les paroissiens sont des priants d'une foi dynamique remarquable. Ils nous interpellent par leur vie de prière, leur jeûne et leur charité.

3. Les prêtres et les religieuses sont des témoins de Dieu. Les prédications ardentes sont nourries par la prière. Ils ne cherchent pas la gloire, mais s'efforcent de répondre avec une patience inlassable aux besoins des paroissiens et des pèlerins.

4. Les nombreuses conversions sont déjà un signe éclatant que l'appel de la Vierge Marie est écouté.

5. Ce que demande la Vierge: PAIX, FOI, PRIÈRE QUOTIDIENNE (chapelet), PÉNITENCE (plus spécifiquement le jeûne), la SAINTE EUCHARISTIE; tout cela est demandé dans l'Évangile. L'insistance de la Vierge Marie nous replace au cœur du message de Jésus.

Je fais ce témoignage pour remercier la Très Sainte Vierge Marie de ce qu'Elle fait pour nous. Je le fais aussi pour assurer de ma prière les prêtres, les religieux et les religieuses, ainsi que les paroissiens de Medjugorje, pour qu'ils soient les témoins fidèles des demandes de la Vierge.

Père Guy Girard, s. ss. a.

Dernières nouvelles de Medjugorje (Août 1985)

1. Ivanka a reçu le 10e secret le 7 mai 1985. L'apparition privée eut lieu chez elle. Ce fut la plus longue de toutes: elle dura une heure. Ivanka ne voit plus la Vierge, sauf à l'anniversaire des apparitions, le 25 juin de chaque année.

2. Vicka est gravement malade. Elle a annoncé à ses parents qu'elle n'en n'aurait pas pour longtemps à vivre, et *aurait offert sa vie* pour la reconnaissance officielle des apparitions. Prions beaucoup pour les voyants.

3. La Conférence épiscopale yougoslave a demandé une Commission internationale indépendante pour étudier ces apparitions dont le *retentissement est désormais international*.

*** TÉMOIGNAGE ***

DIX JOURS À MEDJUGORJE
11 au 21 octobre 1984

Père Armand Girard, s.ss.a.

En 1982, j'ai entendu parler pour la première fois des apparitions de la Vierge à Medjugorje. Cela attira peu mon attention et je ne m'y intéressai pas davantage. Maintes fois on a entendu parler d'apparitions de la Vierge, sans fondement; c'était peut-être une fois de plus...

Les mois passèrent puis parut le volume de l'abbé Laurentin concernant les apparitions à Medjugorje. Celui-ci, ayant été mon professeur en mariologie pendant mes études théologiques, j'achetai aussitôt ce volume dont les éditions s'épuisèrent rapidement. Connaissant l'abbé Laurentin pour son objectivité, sa sincérité et son vif intérêt pour la mariologie, je lus son volume et, dans mon cœur, s'éveilla le rêve d'aller moi-même voir ce qui se passait dans cette paroisse perdue entre les montagnes de Yougoslavie. Je dis « rêve », car je ne croyais pas qu'un jour je puisse me rendre en ce lieu.

À la même époque, j'entendis parler d'une retraite sacerdotale mondiale à Rome. Cette retraite devait regrouper près de 6000 prêtres venant de toutes les parties du monde. C'est dans le prolongement de cette retraite à Rome que prit forme le projet de me rendre en Yougoslavie. Je dois cependant dire que, même rendu à Rome, je doutais encore de me rendre en pèlerinage à Medjugorje. Pourrais-je entrer dans ce pays, même avec un visa? La langue slave m'apparaissait un immense handicap et, sans guide, qu'allions-nous bien faire à cet endroit? C'est avec beaucoup d'hésitation que je quittai Rome pour ce pays inconnu qui m'inquiétait.

Mon témoignage est celui d'un prêtre qui se rendait à Medjugorje pour trois jours et y resta *dix jours*.

La vie à Medjugorje

J'ai vécu dans la communauté chrétienne de Medjugorje les valeurs évangéliques telles que décrites dans les Actes des Apôtres. À l'âge de 48 ans, après 20 ans de sacerdoce, j'ose affirmer ceci: «Ce sont les dix plus beaux jours de ma vie et la plus belle retraite sacerdotale depuis mon ordination». Ma retraite à Rome m'avait laissé un peu insatisfait; ici, la Vierge Marie devait compléter ma retraite par l'atmosphère de prière dont mon âme avait soif.

Intérieur de l'église de Medjugorje. Sur la gauche, statue de la Reine de la paix.

Ce qui m'a le plus saisi, ce ne sont pas d'abord et avant tout les voyants, bien que j'ai été accueilli par eux, mais c'est surtout ce peuple pauvre qui, chaque jour, vient prier pendant plus de trois heures à l'église. Ces gens simples dévorent la Parole de Dieu comme du bon pain. Nous sentons que leur cœur est polarisé par la Très Sainte Eucharistie. Ils jeûnent au pain et à l'eau deux jours par semaine afin de se convertir eux-mêmes et aussi pour servir, sans qu'ils le sachent, d'interpellation pour le monde entier.

Jamais, dans ma vie de prêtre, je n'ai rencontré une aussi grande charité: «Voyez comme ils s'aiment!» Le témoignage de leur vie m'a rapproché du Cœur de Dieu et du Cœur de Marie. Devant ces gens humbles, sans aucune prétention, je sentais qu'en ce lieu, la prière est devenue l'oxygène et la respiration de cette paroisse. Et cette prière ne s'arrête pas aux trois heures passées à l'église, mais elle semble monter vers Dieu jour et nuit. *Ici, on ne parle pas de la prière, on prie!*

Dans ce coin de pays, il se produit quelque chose qui dépasse le rationnel de nos intelligences: l'amour du cœur de chacun *boit Dieu* comme un bon verre d'eau fraîche. Jamais, absolument jamais, je n'ai vu une telle foi! J'ai aussi la conviction profonde que le cœur de ces chrétiens est comme soudé au Cœur de Jésus et au Cœur de Marie. Ainsi vivaient les premiers chrétiens: «Tous considérant les autres comme meilleurs qu'eux».

Nous nageons dans un bain de prière. Quel rafraîchissement pour nos âmes asséchées comme des éponges sans eau! Beaucoup écrivent sur Medjugorje; il vaudrait mieux qu'ils y aillent!

Ces gens de Medjugorje sont prêts à tout partager avec nous. Nous ne parlons pas leur langue, mais c'est peu important. Ils parlent le langage du cœur et ce langage est universel. Oui, en regardant vivre ces gens, j'ai compris que, même derrière le rideau de fer, ils sont plus libres que nous. Nos libertés sont emprisonnées

Miko, Père Guy, sœur de Maria, Père Armand, Maria.

dans le confort de notre matérialisme; eux, ils jouissent de la liberté des enfants de Dieu, et *cette liberté est intérieure.* Personne ne peut la leur enlever; elle est au cœur de leur âme. Emprisonnés, menottés, menacés, ils sont plus libres que nous. La VÉRITÉ les a rendus libres! L'Évangile les a rendus LIBRES!

Les valeurs qu'ils portent en eux sont de l'ordre de l'Évangile. On pourra tout faire contre eux, on ne pourra pas leur nuire vraiment. Ces gens sont enracinés dans le Cœur de Dieu et dans le Cœur de la Très Sainte Vierge Marie. Durant dix jours, mon frère, le Père Guy et moi, avons été *plongés* au cœur de cette paroisse. Nous nous sentions adoptés par eux et nous avions l'impression de connaître ces gens depuis toujours. Au fond, nous avons la même MÈRE: LA VIERGE MARIE!

Pendant ces dix jours, des centaines de prêtres et d'évêques sont passés à Medjugorje et nous avons concélébré ensemble. Peut-être que quelques-uns partent indifférents? C'est la minorité. Je suis certain que beaucoup de prêtres repartent transformés.

Moi, je ne pourrai plus jamais être ce que j'étais auparavant. Quelque chose a changé en moi, et ce quelque chose a un poids d'éternité!

La rencontre avec les voyants

La Vierge Marie nous accorda de très grandes grâces pendant notre séjour à Medjugorje. Nous avons rencontré les voyants et leur famille. C'est grâce à notre petite sœur Maria si nous avons rencontré les autres voyants. C'est une joie bien grande de rencontrer ces jeunes qui aiment tellement Marie et qui sont tellement aimés par Elle. C'est avec Maria que nous avons d'abord prié. Avec elle, nous sommes allés voir Vicka et ses parents, et notre marche nous a fait rencontrer Yvan et ses parents travaillant au tabac. Nous avons terminé la randonnée chez Jacob en jouant au soccer. Quelle fraîcheur! Quel climat merveilleux! Deux prêtres canadiens jouant à frapper un ballon avec Jacob, Maria et Vicka au pied de la montagne de la Croix... Et puis, je crois que la Vierge nous gâtait beaucoup, Guy et moi. Il s'est établi entre nous et les voyants une sorte de connivence. Ils nous avertissaient de leurs lieux de prière. Le soir, après la célébration de l'Eucharistie, nous nous rendions chez Maria; elle nous donnait un vêtement plus chaud, car les nuits sont froides. Puis, nous gravissions la colline des apparitions en récitant le chapelet. Arrivés à l'endroit fixé, nous rencontrions d'autres jeunes faisant partie du groupe de prière. Nous passions quelques heures à réciter des AVE, à chanter les bontés de la Très Sainte Vierge, à écouter le silence de la nuit, puis, un peu avant minuit, nous étions de retour chez Maria.

Un autre soir, nous gravissions la montagne de 540 mètres, la montagne de la Croix. Des gens plus âgés font

Immense croix de béton, érigée en 1933, pour rappeler le 1900ᵉ anniversaire de la Rédemption du monde.

partie de cet autre groupe de prière. Nous avons une longue route à parcourir durant la nuit, éclairés de petites lumières de poche qu'on nous invite à ne pas trop utiliser. Je revois ces gens au sommet de la montagne. Tous s'agenouillaient devant la croix et baisaient le sol avant de commencer le Rosaire et le chant. Ici, au cœur de la nuit, je pensais au monde entier pour lequel nous allions prier, et je sentais qu'un peu du Ciel était répandu sur cette terre bénie. Nous étions les deux seuls prêtres sur cette montagne. Nous ne connaissions pas les personnes qui avaient prié durant cette longue ascension, mais la prière nous unissait.

Ce chemin étroit et rocailleux m'a rappelé le chemin de la perfection de sainte Thérèse d'Avila. Ces deux groupes de prière débordent le groupe des voyants et je considère qu'ils sont d'une nécessité vitale pour que *jamais* la flamme de la FOI ne s'éteigne en ce lieu.

50

Père Guy Girard, Vicka, Maria, Père Armand Girard
(15 octobre 1984).

Ce sont des moments forts qui nous unissent à
l'INVISIBLE.

Dans le silence de la nuit, ces AVE MARIA me
semblent protéger ce village et ce pays contre toutes les
agressions du Malin. Après cette prière, nous redescen-
dons de la montagne en continuant à prier, pour ensuite
nous quitter et aller prier ailleurs.

Guy et moi, nous retournons chez Maria. Dans le
petit salon, nous faisons l'action de grâce pour la
journée qui se termine. Je crois que ceux qui sont allés
en touriste à Medjugorje ne comprendront jamais la joie
du pèlerin.

Nous avons veillé plusieurs soirs chez Maria et nous
avont partagé le repas du midi. Tout était simple,
chaleureux, cordial.

Souper chez les parents de Maria. « Nous étions de la famille ».

La chapelle des apparitions

Durant les dix jours passés à Medjugorje, j'ai eu la grâce d'assister six fois à l'apparition de la Très Sainte Vierge Marie aux voyants. Ce fut pour moi un très grand privilège. Nous étions environ trente à quarante prêtres dans cette petite chapelle. Pour y entrer aussi nombreux, il faut vraiment accepter d'être debout durant tout un Rosaire. Nous entrons donc avant les voyants, et nous prions la Vierge Marie. Lorsque les voyants arrivent, ils se placent devant le petit autel et commencent à prier.

Avec un très grand respect, ils débutent par le signe de la croix. Après quelques instants de prière, ils s'agenouillent simultanément, les yeux fixés sur la Très Sainte Vierge Marie, qu'ils regardent avec une joie indescriptible. C'est l'extase, qui dure de trois à quatre minutes. Aucun mot, aucune parole humaine ne peut décrire ce qui se passe ici. Nous sentons que ces jeunes, très différents les uns des autres, communient à la même joie. Rien ne les distrait. Les lumières des flashes de caméra, la présence des prêtres, la chaleur écrasante de cette petite chapelle, rien ne trouble cette extase. Ils sont hors du temps, les yeux fixés sur leur Mère du Ciel. Nous n'entendons rien, mais nous sentons bien qu'il y a un dialogue entre la Mère et Ses enfants. Puis, tout se termine par un mot à peine perceptible et que j'ai compris à mon retour au Canada: «ODE!», ce qui signifie: «Elle est partie!»

Les jeunes sortent pour continuer la prière et assister à l'Eucharistie. Ils sont redevenus comme tous les autres, sans traitement spécial, sans être mis en vedette. Ils retournent chez eux avec leurs amis. Un seul point peut les distinguer: le «JE VOUS SALUE, MARIE», qu'ils récitent est d'une très grande intériorité. Il jaillit de leur cœur sans aucune crispation, fruit de leur dialogue intime avec leur Mère du Ciel.

Je les ai observés et photographiés, non par curiosité, car, intérieurement, je demandais pardon à la Vierge de mon audace, mais par souci de vérité. Je les ai vus six fois et c'était toujours nouveau, comme si c'était la première fois. Étant face aux voyants, quelque chose m'obligeait à m'agenouiller et, très souvent, je sentais un parfum que je ne peux décrire, mais qui m'apportait une grande paix intérieure. Ces quelques instants m'invitaient à prier la Très Sainte Vierge Marie en saisissant la tendresse maternelle qu'Elle a pour chacun de nous. Ce sont des instants divins qui marquent une existence humaine, et je ne pourrai jamais les oublier.

«BIENHEUREUX CEUX QUI CROIENT COMME S'ILS VOYAIENT!»

Conclusion

Il m'est difficile de tirer une conclusion sur ce pèlerinage à Medjugorje, car il me semble n'avoir rien dit tellement ce pèlerinage fut rempli de grâces. Je veux souligner que mes craintes furent dissipées par une présence constante de la Vierge Marie. Cette Mère que Jésus nous a donnée du haut de la Croix me protégeait d'une manière si évidente que malgré de multiples événements, qui auraient pu être fâcheux et même graves, jamais je n'ai senti dans mon cœur la moindre anxiété. Pourquoi craindre? Ma Mère nous accompagnait. Elle me traçait jour après jour mon itinéraire en me guidant avec la délicatesse enveloppante de l'amour maternel. C'était peut-être la première fois que mes yeux d'aveugle s'ouvraient à la dimension spirituelle de la maternité divine de Marie.

Ce pèlerinage m'a fait comprendre que prier la Très Sainte Vierge Marie n'était pas une dévotion de plus que nous devons avoir. Sa présence dans notre vie sacerdotale est d'une nécessité absolue. Mère du Christ-prêtre, Elle est cet oxygène qui enveloppe tout notre agir pastoral.

En terminant ce témoignage, je veux dire à ceux et celles qui m'ont lu: « Les appels de la Vierge sont ceux de l'Évangile:

« PRIEZ, PRIEZ BEAUCOUP »
« CONFESSEZ-VOUS MENSUELLEMENT »
« JEÛNEZ AU PAIN ET À L'EAU, SURTOUT LE VENDREDI »
« FAITES PÉNITENCE »
« ABANDONNEZ-VOUS À LA VOLONTÉ DU PÈRE »

J'ose espérer que ces quelques pages aideront à la réalisation des désirs de la Vierge Marie à Medjugorje.

C'est en toute soumission à l'autorité de l'Église que j'ai écrit ce témoignage. Il m'était impossible de ne pas dire ce que ce pèlerinage m'avait apporté personnellement.

Union de prière en Jésus et Marie,

Père Armand Girard, s.ss.a.

Père Guy et Père Armand Girard avec Maria.

L'authenticité des apparitions

Le pour et le contre...

Au premier abord, il semblerait heureux que tout cela soit accepté comme véritable. Mais il ne le faut pas! Toute œuvre de Dieu ne prend racine que dans la souffrance. Cette souffrance, elle apparaît d'une façon dramatique et au-delà de tout ce que l'on pouvait imaginer. L'évêque de Mostar, Mgr Pavao Zanic (de qui dépend la décision concernant l'authenticité des apparitions) d'abord très favorable, s'élève maintenant contre les apparitions avec une véhémence incompréhensible. Certaines déclarations de l'évêque et de la commision créée par lui ont parlé d'hallucinations collectives, de manipulations hypnotiques par les franciscains de Medjugorje. Tout dépasse le simple bon sens. *Cela s'est produit malgré l'intervention du Saint-Siège faite à plusieurs reprises pour mettre en garde contre toute précipitation.* Le *Saint Père* lui-même l'a invité à éviter *toute hâte.*

Certes les pèlerinages officiels sont interdits: pèlerinages organisés par le Pape ou par un évêque dans son diocèse. Tous les pèlerinages organisés par d'autres sont des pèlerinages privés, donc permis. Mgr FRANE FRANIC, archevêque métropolitain de Split (Yougoslavie) est nettement favorable. Il s'est rendu à Medjugorje: «Ma conviction personnelle est que les événements sont vraiment d'ordre surnaturel». Il arrive à cette conclusion à cause des fruits que personne ne peut nier. À savoir, la conversion radicale, le retour à une foi plus engagée, la réception du sacrement du pardon, heure(s) de prière quotidienne, le chapelet (de préférence le rosaire).

En ce qui concerne les «hallucinations», Mgr FRANIC dit: «Des hallucinations qui dureraient trois ans endommageraient les cerveaux les meilleurs et les plus sains. Si ces jeunes sont en hallucinations depuis trois ans et qu'ils sont restés sains d'esprit, c'est déjà là, le miracle.»

Le Cardinal Joseph Ratzinger, préfet de la Congrégation de la Foi, écrit: «Dans ce domaine, la patience est l'élément essentiel d'agir de notre Congrégation de la Foi. La Révélation est complète avec Jésus Christ. Mais nous ne pouvons certainement pas empêcher Dieu de parler au monde d'aujourd'hui, soit par des personnes privées, soit par des signes exceptionnels, pour nous faire découvrir les faiblesses de la culture contemporaine caractérisée par le rationalisme.»

Il nous apparaîtrait manquer d'objectivité si on ne soulignait pas, du moins partiellement, la lettre du très grand théologien Hans Urs Von Balthasar à Mgr Zanic en date du 12 décembre 1984. Il écrit ceci: «Quel triste document avec-vous envoyé à travers le monde! J'ai été profondément peiné de voir la charge épiscopale dégradée de cette manière. Au lieu de patienter, comme on vous le recommande de *haut lieu,* vous tonnez et jetez des foudres jupitériennes, tout en dénigrant des personnes renommées et innocentes, dignes de votre égard et de votre protection, vous reprenez des accusations cent fois réfutées... J'espère que vous priez sincèrement le Seigneur et sa Mère de mener ce triste drame si important vers une issue féconde pour l'ensemble de l'Église. Joignez-vous à tous ceux qui prient de façon si fervente à Medjugorje.»

Voilà le problème tel qu'il se présente. Voilà la source des souffrances qui blessent profondément les voyants, les franciscains de Medjugorje, les pèlerins et tous ceux qui aiment la Vierge Marie. Tout sera résolu par la prière et le jeûne. C'est notre conviction. Et par le chapelet... prière tant demandée par la Vierge, Reine de la Paix. Il ne faut pas juger, ni condamner, mais *prier.* Nous devons prier pour les évêques de la Yougoslavie et pour monseigneur Pavao Zanic, évêque de Mostar, qui porte une lourde responsabilité.

Père Éternel que tout se réalise selon ta Sainte et Adorable Volonté, pour le salut des âmes et pour ta gloire et celle de la très Sainte Vierge Marie, Reine de la Paix.

Au lecteur

Toi qui as lu ces lignes, puisses-tu t'engager à suivre les DEMANDES de Marie. Sans l'ombre d'un doute ton cœur sera renouvelé. Ne crains pas le jeûne, le sacrement du pardon, la prière, le chapelet, la Sainte Eucharistie! Ne te laisse pas influencer en croyant que la Vierge demande trop. Il suffit simplement de commencer. La joie qui sera tienne sera d'une telle force que tu sauras qu'elle vient de la Vierge et qu'elle ne peut conduire qu'à Jésus.

G.G.

Février 1985

Une *preuve* de plus de l'*Amour* que notre Mère porte à ses enfants. La Reine de la Paix nous a confirmé par des *signes* l'authenticité des apparitions. En ce domaine *les signes sont concrets et fréquents.* Nous La remercions profondément. Notre sacerdoce nous oblige au secret et à l'obéissance à l'Église.

En foi de quoi nous avons signé

Père Guy Girard s.ss.a

Père Armand Girard pssa

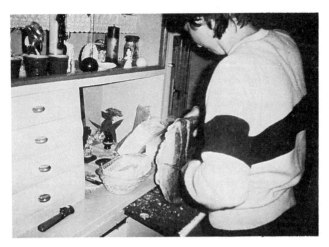

Le pain du jeûne. « C'était un vendredi. »

Recette de pain pour le jeûne

1 ½ tasses de gruau
½   tasse de son
2   tasses de farine de blé
2   cuillerées à thé de soda
1   cuillerée à thé de sel
3   cuillerées à table de mélasse ou de miel
2 ½ tasses de yogourt ou 1 ¾ de lait

Moule à pain, de 30 à 45 min. à 350° F.
Moule à gâteau, de 15 à 20 min. à 350° F.

1) D'abord, faire cuire au four à 450° F pendant 15
   minutes pour un moule à pain ou à gâteau.

2) Ensuite, on diminue le four à 400° F et on fait cuire
   pendant 30 à 45 minutes pour un moule à pain — ou
   15 à 20 minutes pour un moule à gâteau.

Table des matières

Medjugorje 4
Les apparitions 5
Les demandes de la Vierge 5
Les messages 10
Les secrets 11
Les signes 13
Conclusion 20
Interview 21
Témoignage du Père Guy Girard 36
Conclusion 43
Témoignage du Père Armand Girard 45
La vie à Medjugorje 46
La rencontre avec les voyants 49
La chapelle des apparitions 52
Conclusion 54
L'authenticité des apparitions 55
Au lecteur 58
Février 1985 58
Recette de pain pour le jeûne 59
Table des matières 60

Typographie et montage par
Marcel Forget arts graphiques Inc.

Imprimé par
Presses Élite Inc.